D0310336

# Alles over mijn spetterende goudvis

KLUITMAN

# Hoi vis, fijn dat je nu bij mij woont!

Je hebt een nieuw vriendje dat vanaf nu bij je thuis woont. En daarom is het handig om een paar dingen over hem te weten. Waar zet je z'n aquarium? Wat lust hij graag? Wat is gezond en wat niet? Het staat allemaal in dit handige en leuke boek. Enne, heb je al een leuke naam bedacht?

# Inhoud

# Blub blub blub

Op deze pagina kun je een foto
van je vis plakken.

Dit boekje is van ................................................................ Ik ben..... jaar.

Dit is mijn adres..................................................................................

En dit mijn telefoonnummer ....................................................................

Mijn vis heet.........................................................................................

Mijn vis is de allerliefste vis, want...........................................................

Zo herken ik mijn vis ..............................................................................

# Aangenaam, ik ben een goudvis!

## Gefeliciteerd met je nieuwe vriend. Wel goed voor hem zorgen, hoor. Hoe? Dat lees je allemaal in dit boek.

Goudvissen heb je in soorten en maten. Met een hangstaart, met bolle ogen, lang, kort, met zwarte vlekjes... Hoe jouw goudvis er ook uitziet, hij is vast en zeker oranje. En als hij rondzwemt in het licht, lijken zijn schubben wel van goud. Zo mooi glinsteren en schitteren ze. Vandaar dus zijn naam: goudvis. Of Carassius auratus.

### Vis, visje...

...in het water. Visje, visje in de kom. Visje, visje kan niet praten. Visje, visje draai maar om. Ken je dit liedje? Vast! Praten kan je vis niet, maar draaien wel. Hoe? Met zijn vinnen. De vin boven op zijn rug zorgt ervoor dat je vis niet omtuimelt, maar mooi recht zwemt. Door zijn staartvin heen en weer te bewegen gaat je vis vooruit. Met de bekken- en borstvinnen stuurt en remt je goudvis. Ze zitten aan beide kanten van zijn buik - links en rechts - en zo blijft hij mooi in balans. Zouden de vinnen maar aan één kant zitten, dan zou hij rondjes zwemmen. Steeds dezelfde kant op.

### Een slokje lucht

Vissen ademen net als wij door hun mond. Ze nemen dan een slokje water. In water zit zuurstof en vissen filteren dat eruit met hun kieuwen. Het water waar geen zuurstof meer in zit, spugen ze uit. Via hun kieuwen.

De ogen van je goudvis zijn bolletjes die een beetje uitpuilen. En ze zitten niet, zoals bij ons van voren, maar juist opzij. Dat is heel erg handig, want zo ziet hij alles onder, boven, voor en achter zich, zonder dat hij steeds zijn hoofd hoeft om te draaien. Handig op de fiets!

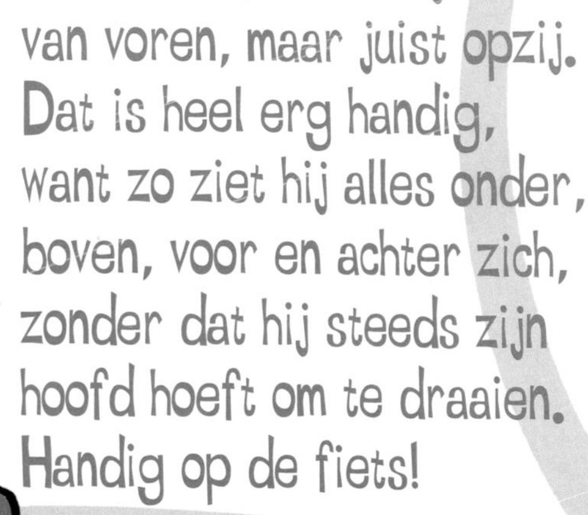

# Wist je dat...

ooo als je goed voor je goudvis zorgt, hij wel 15 jaar oud kan worden?
ooo en wel 18 centimeter lang? Goudvissen in een vijver worden nog langer: wel zo'n 40 centimeter.
ooo goudvissen koudbloedig zijn? Ze kunnen kun eigen temperatuur niet regelen. Ze zijn zo warm of zo koud als hun omgeving. Daarom is het ook zo belangrijk om de temperatuur van het water onder controle te houden.
ooo goudvissen koudwatervissen zijn? Ze hebben dus geen 'kacheltje' in de kom nodig, zoals tropische vissen.

**Ballon opblazen**
Je goudvis heeft een soort ballon in zijn buik: de zwemblaas. Die kan hij zelf opblazen. Hoe? Dan zwemt hij naar boven en neemt een hapje lucht. Als de ballon helemaal vol zit, zwemt hij hoger in het aquarium. Wil hij echt naar de bodem duiken, dan laat hij de ballon bijna leeglopen, want anders kan hij niet naar beneden. Wil je de proef op de som nemen? Probeer maar eens een opgeblazen ballon onder water te drukken. Hoe meer lucht je eruit laat ontsnappen, hoe makkelijker het gaat.

ooo vissen geen oogleden hebben en dus hun ogen niet dicht kunnen doen? Ze kunnen je dus ook geen knipoog geven.

ooo vissen slecht tegen trillingen en schommelingen kunnen? Daar worden ze zeeziek van. Nooit met het aquarium op schoot in de auto stappen dus!

ooo goudvissen geluk brengen? Dat dachten de Chinezen heel vroeger tenminste.

ooo vissen goed kunnen zien? Wel een meter of tien ver. Zelfs in het donker! Alleen kijken ze dan niet, ze kunnen vanaf een afstandje obstakels 'voelen', waardoor ze er niet tegenaan botsen.

# Visje, kom kom...

Je goudvis moet de ruimte hebben om lekker baantjes te kunnen trekken. Het is ook belangrijk om het aquarium op de goede plek neer te zetten. En waterpas.

Veel goudvissen wonen in een te kleine kom. Ze snakken dan naar zuurstof en komen steeds naar boven om adem te happen. De opening van een kom is vaak te klein, waardoor er veel te weinig zuurstof in het water komt. Bovendien kunnen dan de belletjes van je goudvis met koolzuurgas minder goed weg. Doe je goudvis daarom ook nooit in een hoge, smalle vaas. Dan stikt hij. Een aquarium is veel beter dan een kom, want er kan veel meer water in. Een goudvis heeft in z'n uppie zo'n zeven à acht liter water nodig om lekker rond te kunnen zwemmen. Heb je meer vissen? Dan geldt: meer water en dus een groter aquarium.

Vul je aquarium nooit helemaal tot het randje met water, maar tot driekwart.

## Waar zet je je aquarium?

Met dit lijstje bij de hand vind je vast en zeker de beste plek! Doe dit niet met een volle bak water, dat is vragen om ongelukken. Zoek eerst een goede plek en vul dan het aquarium. Als je een volle bak moet verhuizen, is dat én heel zwaar én niet goed voor je vissen en planten.

**Wel eens een vis met een zonnebril gezien?**
Nee, want die hebben ze onder water niet nodig. In een rivier, meer of zee schijnt de zon niet in hun ogen. Gelukkig maar, want vissenogen kunnen helemaal niet tegen zon. Zet je aquarium dus nooit in het felle zonlicht.

Of je aquarium goed staat, merk je vanzelf. Gaan de planten snel dood? En wordt het glas bruin? Dan staat hij te donker. Komt er groenig spul aan de binnenkant van het glas? Dat zijn algen. Die groeien als het water in de zon staat. De bak staat goed als het water lang helder blijft en de plantjes goed groeien en lang mooi groen blijven.

### Hier niet

- In de zon. Het water in de bak wordt dan veel te warm en daardoor kan je vis moeilijk ademhalen.
- Bij de verwarming of kachel. De temperatuur van het water wisselt dan veel te sterk. Warm, koud, warm, koud... Daar kan je vis niet zo goed tegen, hij kan er zelfs van doodgaan.
- Op de vensterbank. Ook daar schommelt de temperatuur veel te veel.

### Hier wel

- In het daglicht, maar niet té licht en niet té donker.
- Op een vlakke kast of tafel. Als de boel gaat wiebelen, kan het glas van je aquarium barsten. En natuurlijk altijd waterpas!

Een goudvis die in het donker staat, verliest zijn mooie oranje kleur. Hij wordt steeds donkerder.

# Als een vis in het water

Als jij zorgt dat zijn zwemwater zuurstofrijk, schoon en op temperatuur is, is je goudvis helemaal gelukkig!

Je goudvis is een koudwatervis. Dat betekent dat het water waarin hij zwemt niet verwarmd hoeft te worden. De temperatuur komt niet zo heel nauw, als die tussen de 10°C en 20°C ligt, vindt je vis het fijn.

Minder fijn vindt hij een schommelende temperatuur. Je moet dus voorkomen dat het water snel opwarmt of afkoelt. Als het héél geleidelijk gaat, heeft je vis er geen last van.

**Brrr**

Als je een vis hebt gekocht, zit hij meestal in een plastic zakje. Zou je de vis zo van het zakje in het aquarium doen, dan is de overgang veel te groot. Je kunt beter de vis met zakje en al een paar uurtjes in de bak met water leggen tot het water in het zakje dezelfde temperatuur heeft als het water in de bak. Je vis went zo langzaam aan de temperatuur.

## Grote schoonmaak

Soms is je aquarium erg vies. Dan is het slim om de boel een keer goed schoon te maken. Zorg dan dat je alles wat je voor het schoonmaken nodig hebt, bij de hand hebt: een maatbeker, een emmer met schoon water, een schepnetje, een vergiet, een algenkrabber, een spons, een aquariumthermometer en een lege, schone (!) emmer waar je vis eventjes in kan. En laat je vader of je moeder je helpen, want het is best een zwaar karwei.

- Schep de helft van het vieze water uit de bak in de lege emmer. Dat gaat heel handig met de maatbeker.
- Schep met het netje je vis uit het water en doe hem voorzichtig in de emmer.
- Haal de plantjes uit de bak en doe ze zolang bij je vis in de emmer.

**Tikken verboden**

Bóing, bóing, bóing, bóing. Om knettergek van te worden, zo veel kabaal maakt het als jij een keertje op de ruit van het aquarium tikt! Dat komt omdat het water het geluid heel goed geleidt. Daardoor stuitert het lawaai een hele tijd van de ene kant naar de andere kant van de bak. Als een enorme echo. Tikken verboden dus.

- Schep of giet de rest van het water voorzichtig uit het aquarium.
- Schep de bodemsteentjes in de vergiet. De bak is nu leeg.
- Maak het glas van de bak schoon met een schone spons. Zitten er algen op? Dan gebruik je de algenkrabber.
- Spoel de bak heel goed om. En nog een keer. En nog een keer.

Lees verder op de volgende pagina.

het water, tussen de steentjes.
Vul het aquarium tot een centimeter of vijf onder de rand.
Schep met het netje je vis uit de emmer en doe 'm voorzichtig terug in het aquarium. Klaar!

## Heerlijk helder

Je goudvis zwemt het liefst in schoon, fris water. Daarom is het belangrijk dat je je aquarium goed schoonhoudt. En dat betekent vooral: elke week schoon water! Zet altijd twee dagen van tevoren een emmer met schoon kraanwater klaar. Liefst in de ruimte waar je aquarium staat. Zo krijgt het water alvast dezelfde temperatuur als het water in het aquarium.

- Spoel de bodemsteentjes ook heel goed af en hussel ze flink door elkaar. Dat gaat handig in de vergiet.
- Doe de steentjes terug in de bak.
- Vul de bak voor de helft met het schone water, dat al twee dagen klaarstaat.
- Check voor de zekerheid nog wel even de temperatuur met je aquariumthermometer. Is dat water net zo warm als het water in de emmer waarin je vis nu zwemt?

Zet de plantjes weer in

Wist je dat een filter ook extra zuurstof in het water pompt?

In kraanwater zit vaak een heel klein beetje chloor. En soms zitten er ook nog andere schadelijke stoffen in. Wij mensen kunnen daar wel tegen, maar je goudvis niet. Door het water twee dagen te laten staan voor je het in het aquarium doet, kan het meeste chloor uit het kraanwater ontsnappen. Je hoeft niet al het water te verschonen. Als je eenvijfde deel vervangt door nieuw water is dat voldoende. Doe dat ook als het water er nog helemaal schoon uitziet. Want in het nieuwe water zit veel meer zuurstof.
Check ook elke week of er algen op het glas zitten. Om die eraf te halen kun je bij de dierenwinkel een algenkrabbertje kopen.

## Schoon, schoner, schoonst

Gebruik voor je aquarium nóóit gewone schoonmaakmiddelen. Bij de dierenwinkel zijn speciale schoonmaakmiddelen voor je aquarium te koop. Die hoef je niet altijd te gebruiken, want meestal krijg je de bak met een beetje boenen en schrobben ook schoon. Maar als je vis ziek is geweest of als je een bak van iemand hebt gekregen of gekocht, dan kun je 'm beter wel even met een speciale reiniger poetsen. Wel altijd heel goed afspoelen, hoor.

## Goed gefilterd

Je kunt voor je aquarium een filter kopen. Dat is een apparaatje dat poep, plas en andere viezigheid uit het water filtert. Meestal zit er een pompje aan dat het water door het filter pompt. Het vuil blijft dan achter in het filter en daarom moet je het filter elke week verschonen. Let op! Ook met een filter moet je het water in je aquarium regelmatig verversen.

**Planten zorgen voor zuurstof in het water. Hoe? Sla maar snel om.**

# Planten? Goed plan

## Waterplanten zorgen voor zuurstof in het water. Daarom alleen al horen ze in een aquarium.

In een aquarium horen planten. Je vis kan zich er lekker in verstoppen en hij knabbelt er ook graag aan. Maar de belangrijkste reden: planten zorgen voor zuurstof en ze halen giftige stoffen uit het

**Vloerbedekking**
Op de bodem van je aquarium kun je het beste kiezels leggen. Niet uit de tuin natuurlijk, maar speciale voor het aquarium. Niet te groot, niet te klein en zonder scherpe randjes. Je koopt die kiezels bij de dierenwinkel. Ze zorgen ervoor dat het water er mooi helder uit blijft zien, omdat poep en troep tussen de steentjes valt. Opgeruimd staat netjes…

water. Je zet de planten gewoon op de bodem, tussen de kiezels. Gaatje 'boren' met je vinger, beetje aandrukken, klaar. Vul wel eerst de helft van de bak met water voordat je de planten erin zet.

## Soorten planten

Er zijn allerlei soorten waterplanten te koop. Bij de dierenwinkel weten ze precies welke voor jouw aquarium het beste zijn. Dat hangt namelijk af van de plek waar je aquarium staat. Het ene plantje heeft meer licht nodig dan het andere.

Net als je vis, moet je ook de plantjes verzorgen. Je hoeft ze natuurlijk geen water te geven, maar het is wel belangrijk om bruine blaadjes weg te halen. Op de planten zit ook vaak een soort aanslag. Dat kun je weghalen door voorzichtig over de takjes en de blaadjes te wrijven.

**Staat je aquarium te donker? Dan gaan de waterplanten zuurstof verbruiken in plaats van maken! Zorg dus altijd voor voldoende daglicht.**

# Wat eten we vandaag?

Goudvissen zijn vlug als water.
Dat komt omdat ze zo mooi gestroomlijnd zijn.
Niet te dik, niet te dun. Houden zo.
Met het juiste visvoer.

Wil je je goudvis trakteren? Koop dan wat watervlooien bij de dierenwinkel en doe er een paar van in het water. Smullen! Koudwatergarnaaltjes en muggenlarven vindt hij ook lekker.

# Vissen hebben een goede smaak. Ze weten precies welk voedsel ze kunnen eten en wat niet zo goed voor ze is.

Je goudvis knabbelt graag aan de waterplanten in het aquarium. Toch heeft hij ook speciaal voer voor goudvissen nodig. Dat zijn droge flintertjes, die een tijdje op het water blijven drijven. Doe er 's ochtends en 's avonds een klein beetje van in het water en wacht een minuut of tien. Als het goed is, heeft je vis dan alles op. Dwarrelt er voer naar de bodem van de kom? Dan heb je te veel in het water gegooid. Je kunt het er met een netje uit hengelen. Doe je dat niet, dan zakt het naar de bodem en wordt het water vies.

## Boehoe!

Goudvissen zijn net koeien. Ze grazen de hele dag door. Nee, niet in de wei, maar op de bodem van het aquarium. Met hun mond woelen ze de bodem om op zoek naar lekkers. Grondelen, noemen we dat. Soms eten ze zelfs kleine steentjes, maar die spugen ze net zo hard weer uit. Bij een grondelende goudvis denk je al snel dat hij honger heeft, maar dat is dus niet zo.

## Vlug als water

Vissen zijn mooi gestroomlijnde beestjes. Dat moet ook wel, anders zouden ze niet zo goed en snel kunnen zwemmen. Je moet ze dus niet vetmesten, want dan worden het slome duikelaars.

# Lekker in zijn vel!

## Je goudvis heeft schubben. Daardoor lijkt zijn huid wel een beetje op een harnas: ijzersterk. Maar schijn bedriegt...

Je goudvis heeft geen huid, maar schubben. Dat zijn 'dakpannetjes' die mooi over elkaar heen liggen met een laagje slijm erop. Door de schubben kan je vis heel snel en soepel en makkelijk door het water glijden. En als er licht op de schubben valt, glinsteren en fonkelen ze heel mooi.

Als je een goudvis aanraakt, beschadigen de schubben en het slijmlaagje. Pak je goudvis dus nóóit met je handen uit de bak. Gebruik altijd een speciaal schepnetje. Die koop je bij de dierenwinkel en zijn zo gemaakt dat ze de schubben niet beschadigen.

### Snelheidsrecord

Sommige wedstrijdzwemmers droomden ervan om schubben te hebben. Daarmee zouden ze namelijk veel sneller door het water glijden. Wetenschappers hebben daarom een zwempak gemaakt van een stof die lijkt op de schubben van een haai. Slim, hè?

Aai, aai... ai!
Au! Wil je een
huisdier dat
je kunt aaien?
Neem dan
geen vis!
Want van
zijn schubben
moet je
afblijven.

# Ik voel me niet zo happy

## Als je vis zich niet lekker voelt, zie je dat meteen. Wat is er aan de hand?

Eet je vis niet? Zwemt hij scheef? Ademt hij heel snel? Blijft hij stilletjes op de bodem liggen? Of komen er ineens sliertjes uit zijn lichaam? Dan is de boodschap duidelijk: ik voel me niet lekker. Wat kun je dan het beste doen? De vier belangrijkste kwaaltjes op een rij:

1 Hapt je vis naar lucht of ligt hij op zijn zij? Dan heeft hij het benauwd. Er zit dan waarschijnlijk te weinig zuurstof in het water. Daar is van alles aan te doen, zoals je in dit boekje kunt lezen. Nu is het belangrijk dat je vis snel weer op adem komt. Ververs het water en vraag bij de dierenwinkel wat je het beste kunt doen om te voorkomen dat het vaker gebeurt.

2 Mist je vis ineens een stukje staart? Of gaan zijn vinnen rafelen? Dan heeft hij waarschijnlijk vinrot. Daar zijn medicijnen voor, maar die werken alleen als je beter voor hem zorgt. Want vissen krijgen vinrot als je ze niet goed

**Zeg eens aaa...**
Is je vis ziek? Bij de dierenwinkel verkopen ze 'medicijnen'. Je moet dan wel weten wat je vis precies mankeert, dus probeer bij de dierenwinkel zo goed mogelijk te vertellen waar je vis last van heeft.

verzorgt, als het water erg vies is en niet genoeg zuurstof bevat.

3 Heeft je vis witte stippen? Dan heeft hij de witte stipziekte. Je vis krijgt het dan benauwd, dus het is belangrijk om snel naar de dierenwinkel te gaan voor medicijnen. De witte stipziekte krijgt je vis van een vies aquarium.

4 Komen er sliertjes uit je vis? Dat is géén poep. Je goudvis maakt namelijk zwarte keuteltjes. Die doorzichtige, zilverachtige sliertjes zijn kieuwwormen. Die krijgt je vis als hij benauwd is. Je vis wordt dan mager en het lijkt alsof hij jeuk heeft, omdat hij met zijn lijf overal tegenaan schuurt. Geef hem snel speciale medicijnen en zorg voor veel meer zuurstof in de bak!

**Heb je meer vissen? Doe dan de zieke vis in een aparte bak. Zo voorkom je dat hij de andere vissen aansteekt. Zorg dat hij helemaal is opgeknapt voor je hem terugzet in het aquarium.**

# Kom je buiten spelen?

Knikkeren, schommelen, steppen...
Echt spelen kan je vis natuurlijk niet en al helemaal niet buiten, maar je kunt wel zorgen dat je vis zich goed vermaakt!

Een kaal aquarium ziet er niet zo mooi uit. Maar je vis voelt zich er ook niet zo lekker in. Hij moet kunnen grondelen tussen de kiezels op de bodem, hij moet zich kunnen verstoppen tussen de planten en hij moet de ruimte hebben om lekker rond te zwemmen. Als je aquarium aan die drie eisen voldoet, is het prima. Er zijn ook achterwanden

voor je aquarium te koop met rotsen en zo. Het is dan net alsof je goudvis in de natuur zwemt. In een rivier of in de oceaan. Zo'n achterwand maakt je aquarium nog mooier! Er zijn ook jongens en meisjes die zelf een achterwand maken. Als je op internet kijkt en 'achterwand aquarium' intypt, kom je allerlei voorbeelden tegen.
Je kunt ook nog mooie bouwwerken op de bodem

## Circusvis

Goudvissen kun je kunstjes leren. Ga je hem voeren? Zet dan van tevoren steeds hetzelfde muziekje op. Niet te hard natuurlijk. En geef je vis steeds aan dezelfde kant van de bak een beetje voer. Wedden dat hij na een tijdje al naar dat hoekje zwemt als hij de muziek hoort? Je kunt hem dan ook leren om uit je hand te eten. Houd een klein beetje voer tussen je duim en wijsvinger en laat je goudvis ervan afhappen. Je hebt wel een beetje geduld nodig om van je goudvis een circusartiest te maken.

van het aquarium zetten. Kastelen waar je goudvis doorheen kan zwemmen, rotsen waar hij omheen kan zwemmen... er is van alles te koop bij de dierenwinkel. Pas wel op dat er geen scherpe randen en punten aan zitten waar je vis zich aan kan verwonden en dat je je aquarium niet te vol bouwt. Dan kan je goudvis zijn kont niet meer keren. En zwemmen is toch het aller-, allerliefste wat je goudvis doet!

# Een jongetje of een meisje? Eh...

Natuurlijk wil
je graag weten
of jouw vis een
mannetje
of een
vrouwtje is.
Want straks
geef je een
jongensvis
nog een
meisjesnaam!

Heeft jouw vis nog geen naam? Geef hem er dan maar een die bij een jongetje én een meisje past, want je kunt met geen mogelijkheid zien of je vis een piemeltje heeft of niet. En verder zien ze er ook helemaal hetzelfde uit. Alleen in de lente, dan zie je ineens verschil. Dan zie je de buik van een vrouwtjesvis dikker en dikker worden. Er zit dan kuit in haar buik. Dat zijn een heleboel kleine eitjes. Die legt ze niet in een nest, ze 'plakt' ze vaak aan een plant. Of ze legt ze op de bodem van het aquarium. En wat er dan gebeurt? Ze eet ze zelf op! En daardoor krijg je bijna nooit babyvisjes in je aquarium.

# Kroost

Wil je graag kleine goudvisjes? Dat is nog niet zo makkelijk, maar je kunt natuurlijk wel proberen om ze te kweken.

**Babygoudvissen in een aquarium kleuren sneller oranje dan vissen in een vijver. Dat heeft vooral met de temperatuur te maken.**

# Lentekriebels! Vissen voelen dat het lente wordt, omdat het dan lichter en zonniger is.

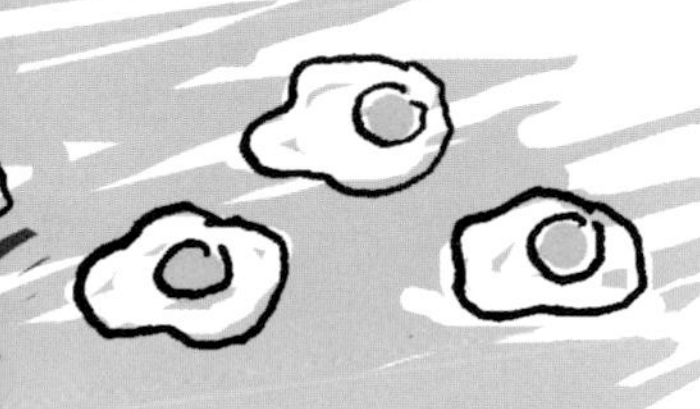

Je krijgt alleen maar babyvisjes in je aquarium als er een mannetjesvis én een vrouwtjesvis in zitten. In de lente krijgen ze kriebels in hun buik en gaan ze 'paaien'. Het is dan net alsof ze tikkertje doen. Ze zwemmen vrolijk achter en tegen elkaar aan en het mannetje tikt tegen de buik van het vrouwtje.

Zij spuit de eitjes dan naar buiten. 'Kuit schieten', noemen we dat. We zien een soort wolkjes in het water. In die wolkjes zitten honderden eitjes die de mannetjesvis dan bevrucht. Dat worden kleine goudvisjes. Als ze tenminste niet worden opgevreten...

## Is de babykamer klaar?

Wil je de eitjes beschermen? Dan heb je een extra aquarium nodig, waar je alleen de vissen in doet. De eitjes blijven waar ze zijn. Ze zitten meestal goed aan de waterplanten of aan de wand van je aquarium vastgekleefd. Laat ze daar lekker zitten. En dan? Tja, dan is het wachten. Als het goed is, zie je na een dag of drie dat er zwarte puntjes in de eitjes komen. En weer een dag of drie later zwemmen ze al rond! Het zijn dan nog geen goudvisjes, want ze zijn heel donker, bijna zwart. Pas na een paar maanden veranderen ze van kleur en worden ze oranje. Zouden de kleine visjes al meteen zo mooi oranje zijn, dan vallen ze véél te veel op.

# Goudvis en andere guppen

Is je aquarium groot genoeg?
Dan kun je er meerdere goudvissen in doen.
Of andere koudwatervissen.

Wil je meerdere soorten vissen in je aquarium, dan moet je er vooral op letten wáár de vissen zwemmen. Dat klinkt misschien raar, maar er zijn vissen die vooral boven in je aquarium zwemmen en er zijn ook vissen die veel op de bodem rondhangen. En vissen voor in het midden. Als je daar heel goed op let, kun je dus verschillende soorten rond laten zwemmen, zonder dat ze elkaar tegenkomen. Bij de dierenwinkel kunnen ze het je allemaal precies vertellen.

**1, 2, 3...**
Als je net een aquarium hebt, kun je het beste beginnen met één 'gewone' goudvis. Die zijn het sterkst. Na een jaar of twee weet je of je je aquarium leuk vindt en dan kun je misschien meerdere of andere vissen in je aquarium doen.

**Hoe meer vissen, hoe groter je aquarium moet zijn.**

Goudvissen zwemmen van boven naar onderen, dus die zijn minder geschikt om met andere soorten samen te wonen. Je kunt natuurlijk wel verschillende soorten goudvissen kiezen, want er zijn héél veel soorten! Let er wel op dat vissen in je aquarium ongeveer even groot zijn. Anders worden de kleintjes door de groten opgegeten. Of de kleintjes zijn erg bang voor de groten en verstoppen zich de hele tijd. Dat betekent dus geen guppen en goudvissen in één bak.

## Vast stekkie

Op vakantie? Daar doe je je goudvis echt geen plezier mee. Hij blijft het liefst op zijn vaste stek: bij jou thuis. Vraag of een vriendje of vriendinnetje uit de buurt hem tweemaal per week een beetje voer geeft. In de zomervakantie is het vaak warm en daardoor verdampt het water in het aquarium extra snel. Plak daarom op je aquarium een briefje met een streepje dat aangeeft hoe hoog het water moet staan en vraag je vriendje of vriendinnetje om het water 'op peil' te houden. Gewoon door een kopje vers kraanwater in het aquarium te laten druppelen. En, heel belangrijk: check goed of het aquarium niet in de felle zon staat als jij weg bent. Vissen houden echt niet van zonnebaden.

Nur 223 / LP090701

Concept, vorm & realisatie: Jos Noijen / DN30



www.kluitman.nl